ANIMAIS

Ciranda Cultural

ANIMAIS

1. O que é, o que é? O coelho quer, mas não quer ser?

2. O que é, o que é? O animal que começa pela fruta e termina pela marcha?

3. O que é, o que é? Tem luz, mas só vive no escuro?

4. O que o cavalo estava fazendo com o celular?

5. O que é, o que é? O tipo de bebida favorita dos animais?

6. **O que é, o que é? A ilha onde os macacos gostariam de viver?**

7. Por que o porco tem raiva do mecânico?

8. O que é, o que é? O peixe que não é casado?

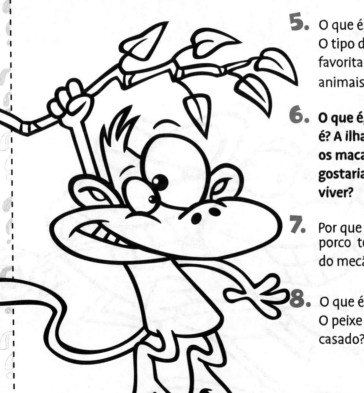

RESPOSTAS: 1. Comida. 2. Jaca-ré. 3. Vaga-lume. 4. Passando trote. 5. A de garrafa PET. 6. Na ilha do Bananal. 7. Porque ele vive apertando as porcas. 8. É o namorado.

ANIMAiS

9. O que é pior do que encontrar uma barata na sua comida?

10. O que é, o que é? Um burro morto de fome e sede viu comida e água. O que ele preferiu?

11. O que é, o que é? O bicho sem osso e sem espinha?

12. O que devemos fazer quando um elefante espirra?

13. Por que os pássaros voam para o sul no inverno?

14. Por que a girafa não é redonda, branca e baixa?

15. Por que as vacas da Argentina olham para o céu?

RESPOSTAS: 9. Encontrar apenas meia barata. 10. Se está morto, não prefere nada. 11. A minhoca. 12. No mínimo, sair da frente! 13. Porque é muito longe para ir andando. 14. Porque não seria uma girafa, e, sim uma aspirina. 15. Para ver se tem um "boi nos ares" (Buenos Aires).

ANIMAIS

16. O que é, o que é? Anda com os pés na cabeça?

17. Por que a mulher do elefante não bebe Coca-Cola?

18. O que é, o que é? A animação favorita da vaca?

19. O que é que faz um burro em cima de uma ponte?

20. O que acontece quando dois gambás discutem?

21. Por que o elefante não usa creme hidratante?

22. O que é, o que é? É cinza com bolinhas vermelhas?

RESPOSTAS: 16. O piolho. 17. Porque ela é Fanta. 18. Muu-lan (Mulan). 19. Faz peso. 20. A coisa fede. 21. Porque a pata dele não cabe no pote. 22. Um elefante com alergia.

ANIMAIS

23. O que é, o que é? O animal que venceu o torneio de tênis?

24. Por que o elefante usa óculos vermelhos? E verdes? E marrons?

25. O que é, o que é? O que acontece quando um pato disputa um jogo com outro pato?

26. O que é, o que é? Tem anéis e não tem dedos, que corre e não tem pés?

27. O que devem fazer a pata e o pato para se darem bem um com o outro?

28. O que é, o que é? A cidade que tem um animal, uma cidade e uma fruta no nome?

RESPOSTAS: 23. O cão-peão (campeão). 24. Pra ver-melhor, pra ver-de-perto e pra ver-marrom-enos. 25. O jogo fica empatado. 26. A cobra. 27. Um pacto. 28. Boituva (boi + Itu + uva).

ANIMAIS

29. O que é, o que é? Tem perna fina, cintura alongada, toca corneta e leva bofetada?

30. Que horas são quando um elefante senta em cima do seu carro?

31. Um gato e um cachorro caíram num poço, como é que eles saíram?

32. Por que o elefante não consegue tirar carteira de motorista?

33. Por que a mamãe canguru não gosta de dias chuvosos?

34. O que dá cruzar um pombo correio com um pica-pau?

35. O que é, o que é? O bicho que faz a maior onda abanando a cauda?

RESPOSTAS: 29. O pernilongo. 30. Hora de comprar um carro novo. 31. Molhados. 32. Porque ele vive dando trombadas. 33. Porque as crianças ficam brincando dentro de casa. 34. Um pombo correio que bate na porta. 35. A baleia.

ANIMAIS

36. O que é, o que é? O peixe que tem um título de nobreza?

37. O que é, o que é? O dinossauro que pode ser abastecido com etanol e gasolina?

38. Quem é mais forte: o leão ou o caracol?

39. O que é, o que é? O felino idoso?

40. O que é, o que é? O bicho que anda com as patas?

41. Porque o sapo entrou no computador?

42. Por que o cão não urina no trem?

RESPOSTAS: 36. Tu-barão. 37. Tiranossauro-Flex (Tiranossauro-Rex). 38. O caracol, porque ele carrega a casa nas costas. 39. O tigre-de-bengala. 40. O pato. 41. Para encontrar a memória rã (RAM). 42. Porque os postes andam depressa.

ANiMAiS

43. Por que o leão tem juba?

44. Por que o cachorro olha para os lados?

45. O que é, o que é? Sempre vai dormir calçado?

46. Qual a ideia de progresso para os caranguejos?

47. O que é, o que é? O bicho que come com os pés?

48. Onde dormem as tartarugas?

49. O que é, o que é? O bicho que não é caro?

RESPOSTAS: 43. Porque ninguém a corta. 44. Para atravessar a rua. 45. O cavalo. 46. Um passo atrás. 47. Todos, nenhum tira os pés para comer. 48. Na estrada (tartarugas de sinalização). 49. A barata.

ANIMAIS

50. O que é que o boi não é?

51. O que é que o boi não fala?

52. O que é, o que é? O animal que não vale nada?

53. O que é, o que é? Anda com a pata na cabeça?

54. Quando é que um galo não canta?

55. O que é, o que é? O inseto mais acrobático?

56. Qual o casal de animais que Noé não levou em sua arca?

RESPOSTAS: 50. boi-bo. 51. boi-bagem. 52. Já-vali. 53. O pato apaixonado. 54. Quando é um galo na cabeça. 55. A pulga. 56. O casal de peixes.

ANIMAIS

57. O que é, o que é? O tipo de cão está sempre com febre?

58. Qual a maneira mais fácil de se pegar um peixe?

59. O que é, o que é? O animal feroz que é chegado a um salão de beleza?

60. O que faz o canguru quando consegue muito dinheiro?

61. O que acontece quando dois sapos se beijam?

62. O que é, o que é? O cavalo que mais gosta de tomar banho?

63. O que é, o que é? O sal que é peixe?

RESPOSTAS: 57. Cachorro-quente. 58. Ir à peixaria e comprar. 59. A onça-pintada. 60. Aplica na bolsa. 61. Dá sapinho. 62. O cavalo-marinho. 63. sal-mão.

ANIMAIS

64. O que é, o que é? O tipo de sapo que pula mais alto que um prédio?

65. O que é, o que é? Quanto mais cresce, mais perto do chão fica?

66. Por que a macaca Chita ficou zangada com Tarzan?

67. Por que o cachorro late para o carro que passa?

68. O que é, o que é? É menor que a boca de uma formiga?

69. Quando é que um peixe está enrascado?

RESPOSTAS: 64. Todos; prédio não pula. 65. O rabo do cavalo. 66. Porque ele é amigo da onça. 67. Porque não pode buzinar. 68. O que ela come. 69. Quando está frito.

ANIMAIS

70. Por que o porco foi expulso do torneio de xadrez?

71. Que horas são quando se vê um leão levantando-se após a sesta?

72. O que é, o que é? Na estrada e no mato é sinal de perigo, mas na cidade o homem precisa dele?

73. Se um peru fosse comprar um carro, que espécie de veículo ele escolheria?

74. O que é, o que é? Tem pele de jacaré, pata de jacaré e rabo de jacaré?

75. O que é, o que é? A primeira coisa que um boi faz de manhã, quando sai ao sol?

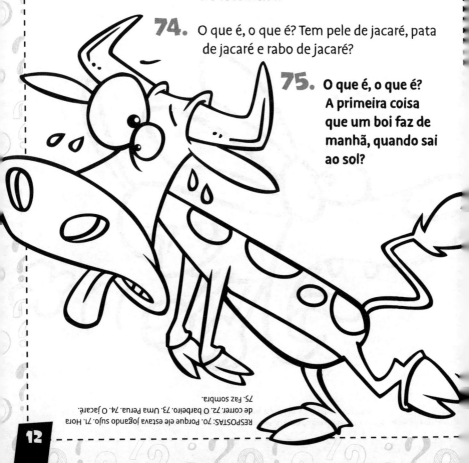

RESPOSTAS: 70. Porque ele estava jogando sujo. 71. Hora de correr. 72. O barbeiro. 73. Uma Perua. 74. O Jacaré. 75. Faz sombra.

ANIMAIS

76. Quem é que não pesca nada e fica à beira do rio comendo mosca?

77. Dois ratos roendo a cópia de um filme no porão de um estúdio. O que um dos ratos metido a crítico disse?

78. O que é que tem muitos pés, mas não pode ficar em pé?

79. Por que o porco estava alegre?

80. Como é que a gente sabe onde é a cabeça da minhoca?

81. Qual luz vem da ovelha?

RESPOSTAS: 76. O sapo. 77. " Gostei mais do livro ". 78. Uma centopeia. 79. Porque estava de bacon a viv 80. Fazendo cócegas no meio: a que rir é a cabeça. 81. Iã-terna (lanterna).

ANIMAIS

82. Por que as ostras se internam?

83. O que é, o que é? Dois pontinhos azuis dentro da casinha do cachorro?

84. O que é, o que é? O legume de que a cabra mais gosta?

85. O que acontece quando um cachorro fecha os olhos?

86. **O que é, o que é? O lugar de férias preferido pelos gatos?**

87. O que é, o que é? O bicho que ninguém gosta de pagar?

88. O que é, o que é? O animal que espera a sua vez?

RESPOSTAS: 82. Para os-tratamentos. 83. Um pit-blue e um blue-dog. 84. A bééé-terraba. 85. Não enxerga nada. 86. As Ilhas canárias. 87. O pato. 88. O cão da raça fila.

ANIMAIS

89. O que é, o que é? O animal que não gosta do futuro?

90. Por que o carneiro passa por cima do morro?

91. Quem é que nunca reclama da vida de cachorro?

92. De que a vaca foi fantasiada para festa?

93. O que é um bezerro depois de seis meses?

94. O que é, o que é? O inseto que avisa quando chega?

RESPOSTAS: 89. Rinoceri-ontem. 90. Porque não pode passar por baixo. 91. As pulgas. 92. De muu-mia. 93. Seis meses mais velho. 94. O pernilongo.

ANIMAIS

95. O que é, o que é? O animal que vive ajudando os outros?

96. Como é que se chama pernilongo em sua cidade?

97. Por que as abelhas gostam do trabalho que fazem?

98. O que a joaninha disse para o grilo?

99. O que é que cai em pé e corre deitado?

100. Qual a ave cujo nome se escreve de trás para frente?

RESPOSTAS: 95. O macaco, porque ele quebra galho. 96. Não é preciso chamar, ele vem sozinho. 97. Porque é um trabalho doce. 98. "Deixa de ser cri-cri". 99. Uma minhoca de paraquedas. 100. Arara.